Wo der Weihnachtsmann wohnt

MAURI KUNNAS

mit Tarja Kunnas
Deutsch von Anu Pyykönen-Stohner und Friedbert Stohner

Verlag Friedrich Oetinger · Hamburg

Weit oben in Lappland, wo die Winter lang und kalt
und dunkel sind, gibt es ein kleines Dorf am Fuße eines
Berges. Dieser Berg hat einen schwierigen Namen, er
heißt Korvatunturi und das ist finnisch. Der Teil von
Lappland nämlich, in dem das kleine Dorf und der Berg
liegen, gehört zu Finnland. In diesem Dorf gibt es Wohn-
häuser und Ställe und Werkstätten und einen Flugplatz.

Weder Straßen noch Wege führen dorthin. Deswegen
ist es auch so schwer zu finden. Nur ein paar
Lappen, die sich im Schneesturm verirrt hatten,
sind bisher dort gewesen. Und wen, meint ihr,
haben sie in dem Dorf getroffen?

Richtig, den Weihnachtsmann!

Hier also wohnt der Weihnachtsmann, ein netter alter Mann mit einem weißen Bart, der für alle Kinder auf der Welt zuständig ist. Jahr für Jahr rackert er sich ab, damit alle ein schönes Weihnachtsfest haben. Natürlich wohnt er nicht allein hier, er hat nämlich auch eine Frau und dann sind da noch die Wichtelmänner, die Wichtelfrauen und die Wichtelkinder und viele, viele Rentiere.

Niemand kann sich mehr erinnern, wie und von woher der Weihnachtsmann in das kleine Dorf gekommen ist. Ihn selber braucht man nicht danach zu fragen. Er schmunzelt nur und schweigt, wenn man ihn fragt. Ob er sich überhaupt noch erinnert …?

Aber von den Wichteln weiß man, dass sie früher Wald- und Hauswichtel im Süden waren.
Sie sind erst nach und nach in den ruhigen Norden gezogen. Bestimmt wegen der lauten
Städte und Fabriken.
Die Wichtel haben alle möglichen Aufgaben. Es gibt Schreinerwichtel, Schusterwichtel,
Feinmechanikerwichtel, Malerwichtel, Weberwichtel, Druckerwichtel und noch viele mehr.
Und weil es sie gibt, werden auch immer alle Geschenke für die Kinder auf der ganzen Welt
rechtzeitig zu Weihnachten fertig. Deshalb hat der Weihnachtsmann sie angestellt.
Er hat auch einen Bürowichtel, der genau wie alle anderen Wichtel das Jahr über von
Februar bis Weihnachten fleißig sein muss.

Jeden Morgen müssen die Wichtel früh aufstehen, damit sie ihre Arbeit schaffen. Und jeden Morgen werden sie von einem wunderbaren Duft geweckt. Frau Weihnachtsmann kocht nämlich einen so köstlichen Haferbrei, dass die Wichtelmänner gar nicht schnell genug an den Frühstückstisch kommen können. Dabei brauchten sie keine Angst zu haben, dass es nicht reicht, denn Frau Weihnachtsmann kocht immer einen riesengroßen Topf voll.

Nach so einem guten Frühstück geht jeder
Wichtel fröhlich an die Arbeit.
Für Frau Weihnachtsmann und die Wichtel-
frauen gibt's jeden Tag viel zu tun: Sie müssen
waschen und stopfen und bügeln und flicken,
denn es passiert immer wieder, dass ein
Wichtelmann nicht genug aufpasst und einen
Jackenzipfel an die Hobelbank nagelt oder sich
Holzleim in die Tasche gießt …
Alle sind immer freundlich zueinander in dem
kleinen Dorf am Korvatunturi. Darum über-
wintern auch so viele Tiere bei den Wichteln.

Nach einem langen Arbeitstag sind die Wichtel oft so müde, dass sie gleich nach dem Zähne-putzen ins Bett gehen und einschlafen. Aber einige wollen noch Karten spielen, lesen oder fernsehen.
Die Wichtel brauchen wenig Platz. Mit einem Bett und ihren Lieblingssachen drum herum sind sie zufrieden. Es sieht zwar ein bisschen unordentlich bei ihnen aus, meint Frau Weih-nachtsmann, aber die Wichtel stört das nicht. Im Gegenteil, sie finden es richtig gemütlich.

Der im Heu ist Artur. Artur war lange Jahre Stallwichtel im Süden. Er hat auch schon mal in einem ganz normalen Bett geschlafen. Aber seiner Meinung nach geht nichts über einen weichen, duftenden Heuhaufen.

Die Wichtelkinder gehen in die Schule wie die Menschenkinder. Sie müssen genauso lesen, schreiben, rechnen und zeichnen lernen.

Die meisten mögen Tierkunde am liebsten. Kein Wunder, denn am Korvatunturi sind die wilden Tiere so zahm, dass man zum Beispiel einem Wolf ins Maul sehen und seine Zähne zählen kann. In Erdkunde ist der Lehrer besonders streng. Schließlich müssen die Wichtelkinder später genau wissen, wo Österreich oder Island liegt, Kopenhagen oder Köln, damit die Geschenke richtig ankommen.

Werken ist in der Wichtelschule das Hauptfach und die Werklehrer sind richtige Wichtelmeister. Vieles, was die Wichtelkinder im Unterricht basteln, ist schon so gut, dass der Weihnachtsmann es an die Menschenkinder weiterschenken kann.

Außer den Werkstattwichteln gibt es noch Wichtel, die die Rentiere hüten. Das sind die Rentierwichtel. Die stammen meistens aus einer alten Lappenwichtelfamilie und sind es gewohnt, den ganzen Tag im Freien zu verbringen.

Die Rentiere, die dem Weihnachtsmann gehören, leben auf den Berghängen rings um das kleine Dorf. Die Wichtel haben nicht viel Arbeit mit ihnen, denn die Rentiere haben kleine Glöckchen im Ohr, damit man sie hört, falls sie sich mal verlaufen. Und dann sind da noch kluge Hunde, die aufpassen, dass die Herde zusammenbleibt.

Die schönste Jahreszeit für die Rentierwichtel ist der Herbst, wenn alle Pflanzen sich verfärben und die Natur so aussieht, als ob sie in rote Farbe getaucht wäre. Die Berghänge leuchten dann so rot, dass man die Wichtel mit den roten Mützen kaum erkennen kann. Mancher Werkstattwichtel würde deshalb im Herbst gern mit den Rentierwichteln tauschen.

Es gibt viele Werkstätten in dem kleinen Dorf: eine Schreinerwerkstatt, eine Weberei, eine Töpferei, eine Malerwerkstatt und so viele andere, dass man sie wirklich nicht alle aufzählen kann.

Die Schreinerwichtel schreinern in ihrer Werkstatt alles, was ein Menschenkind sich wünschen kann, von der Puppenstube bis zum Schaukelpferd. Da wird gesägt, gehämmert und gehobelt, dass die Späne nur so fliegen und man vor lauter Lärm kaum ein Wort versteht.

Bücher und Spiele werden in der Druckerei gedruckt. Auf einer riesengroßen Druckmaschine. Hier arbeiten die Druckerwichtel. Ihre Finger sind dauernd schwarz von Druckerschwärze, und weil sie Angst haben, dass ihre schönen langen Bärte in die Druckmaschine geraten, haben sie sie zu Zöpfen geflochten oder über dem Kopf zusammengebunden. Das hilft auch gut gegen Ohrendröhnen.

In den Werkstätten des kleinen Dorfes läuft alles wie geschmiert, denn der Weihnachtsmann beschäftigt lauter Spitzenkräfte, zum Beispiel Daniel Drechsel, den Drechsler, der wirklich einmalig ist. Und niemand auf der Welt schraubt Schlittschuhkufen schneller unter Schlittschuhschuhe als der Schraubenschorsch.

Willi Wichtel kennt die letzten Tricks der Feinmechanik.

Und der alte Bartel Leimbart ist ein Meisterleimer. Woher er seinen Namen hat, weiß keiner.

Neue Puppen brauchen neue Puppenkleider. Die näht Jette Jäckchen an der Nähmaschine und über Arbeitsmangel kann sie sich nicht beklagen.

Auch Albert nicht. Er ist der Spezialist für Flötenlöcher. Die Beste an der Farbenspritze ist die alte Petra Pinsel. Man darf ihr nur nicht vor die Spritze kommen …

Wenn die Geschenke fertig sind, werden sie ins große Spielzeuglager transportiert und dort so lange aufbewahrt, bis der Weihnachtsmann sie verteilt. Aber da lagern nicht nur die fertigen Geschenke, sondern auch einzelne Spielzeugteile, zum Beispiel Puppenbeine oder Autoräder. Die Lagerwichtel passen genau auf, dass von allem so viel da ist, wie in den Werkstätten gebraucht wird. Und je näher Weihnachten heranrückt, desto mehr fertiges Spielzeug stapelt sich im Lager.

Die Lagerwichtel müssen die Wichtelkinder, die so gern im Spielzeuglager herumtoben, im Auge behalten, damit sie nichts kaputtmachen oder durcheinander bringen.

Die Wichtel arbeiten aber nicht nur. Im Sommer, wenn in Lappland die Sonne nicht untergeht, haben sie so viel Zeit, dass sie Ferien machen können. Sie wandern oder spielen Fußball oder auch Theater. Das mögen sie ganz besonders gern und jeder freut sich, wenn er nicht nur zugucken, sondern auch mitspielen darf. Darüber bestimmt Werner Wichtel. Früher war er Bühnenwichtel in Helsinki.

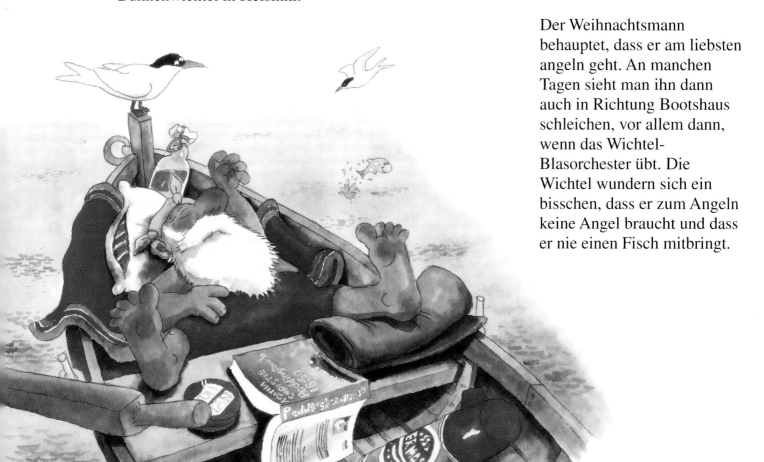

Der Weihnachtsmann behauptet, dass er am liebsten angeln geht. An manchen Tagen sieht man ihn dann auch in Richtung Bootshaus schleichen, vor allem dann, wenn das Wichtel-Blasorchester übt. Die Wichtel wundern sich ein bisschen, dass er zum Angeln keine Angel braucht und dass er nie einen Fisch mitbringt.

Das Wichtel-Blasorchester ist sehr beliebt. Da wird getrommelt und geblasen und geflötet, dass die Wände wackeln, aber je lauter es dröhnt, desto besser finden es die Wichtel.

Wichtel, die besonders klein sind, flink und leise, werden vom Weihnachtsmann als Kundschafterwichtel losgeschickt. Im Spätherbst machen sie sich auf den Weg. Und weil sie so klein sind, können sie sich leicht in den Menschenwohnungen verstecken, zum Beispiel in einer Schultasche oder zwischen Spielzeug. Natürlich wissen die Menschenkinder, dass die Wichtel um diese Zeit kommen, dass sie beobachtet werden und alles über sie aufgeschrieben wird. Darum machen kluge Kinder vom Spätherbst an immer ihre Hausaufgaben, putzen sich auch abends die Zähne und gehen ins Bett ohne zu murren. Man kann ja nie wissen, ob sich irgendwo ein Wichtel versteckt hat.

Der Weihnachtsmann freut sich natürlich sehr, wenn die Kundschafterwichtel gute Nachrichten mit nach Hause bringen.

Bald kommen auch die ersten Briefe mit den Weihnachtswünschen. Sie werden mit dem Postflugzeug in das kleine Dorf am Korvatunturi gebracht, weil es ja sonst keinen Weg dorthin gibt.

Alle Briefe werden gelesen
und alle Wünsche von allen
Kindern in dicke Bücher
eingetragen.
Einige Postwichtel müssen natürlich Fremdsprachen können, weil Briefe aus der ganzen Welt
kommen. Manchmal haben sie es nicht leicht, die Briefe zu entziffern. Aber bisher haben sie
noch alles lesen können.

Natürlich vergessen die Wichtel
nicht, dass sie selber auch Weihnachten feiern wollen. Das ist fast
ein Wunder bei so viel Arbeit, bei
all dem Hin und Her.

Deshalb legt Winfried
Wichtel, wenn er mit seinen
Helfern den Weihnachts-
schmuck aus Holz und Stroh
bastelt, genug für die eigene
Weihnachtsfeier beiseite.

Trotz aller Arbeit denken sie auch
an die Vögel, die auf Futter warten.

Kurz vor Weihnachten wird für die Wichtelweihnachtsfeier ein riesengroßer Topf mit süßem Reisbrei gekocht und darin eine Mandel versteckt. Wer diese Mandel auf seinem Teller findet, so sagt man bei den Wichteln, der soll Glück im neuen Jahr haben.

Die Wichtelkinder können es kaum abwarten, bis sie Weihnachtsplätzchen backen dürfen. Sie kriegen dafür sogar schulfrei. Aber die Plätzchen reichen nie, egal, wie viele gebacken werden. Die Wichtel sind nämlich ganz verrückt nach Plätzchen.

Wenn die vielen Geschenke hübsch verpackt werden, müssen alle helfen. Das ist ein Kommen und Gehen im Spielzeuglager! Man hört Lachen und Schwatzen und zwischendurch werden auch Weihnachtslieder gesungen.

Die Wichtel schlagen die dicken Bücher auf und lesen nach, was für ein Geschenk jedes Kind in diesem Jahr vom Weihnachtsmann bekommt. Schließlich stapeln sich die bunten Päckchen bis zur Decke.

Natürlich kann der Weihnachtsmann nicht alle Wünsche erfüllen. Denn es gibt so viele Menschenkinder und so viele Wünsche. Darum helfen ihm die Eltern auch ein bisschen.

Jetzt sind es nur noch wenige Tage bis Weihnachten. Die Rentierwichtel haben schon die Schlitten herausgeholt und geputzt, die roten Weihnachtsmäntel sind ausgebürstet und die Stiefel gut eingewachst.

Die Flugzeugflotte wird auf-
getankt (denn ohne Flug-
zeuge könnte es der Weih-
nachtsmann heute nicht mehr
schaffen). Alle Wichtel
müssen helfen die vielen
Weihnachtspäckchen zu
verladen. Und schnell muss
es gehen. Denn der Weih-
nachtsmann und seine
Wichtel haben nicht viel
Zeit, weil alle Kinder
in der ganzen Welt auf die
Geschenke warten.

Endlich ist der große Tag gekommen: Es ist Heiligabend. Um fünf Uhr morgens stehen alle Wichtel auf und es gibt besonders dicken Haferbrei. Heute müssen sie warme Unterwäsche anziehen und natürlich die roten Weihnachtssachen. Jeder weiß genau, was er zu tun hat.

Jeder Wichtel guckt noch einmal nach, ob er auch wirklich Karten, Kompass, Butterbrote und Saft in seinen Schlitten gepackt hat. Frau Weihnachtsmann holt schnell noch eine Dose Rheumasalbe und schmiert dem Weihnachtsmann damit den Rücken ein. Denn in seinem Alter ist ein Tag im kalten Rentierschlitten wahrhaftig kein Vergnügen mehr.

Der Aufbruch früh am Morgen, wenn das Nordlicht funkelt, ist ein ganz besonderes Erlebnis.

Am Heiligabend wird es für die Menschenkinder aufregend und spannend. Heute kommt der Weihnachtsmann. Was wird er ihnen bringen? Und wann kommt er denn nun endlich? Sie warten und achten auf jedes Geräusch. Bis es endlich draußen poltert …

„Seid ihr auch alle artig gewesen?", fragt der Weihnachtsmann, wenn er ins Zimmer kommt. Obwohl er ja die Antwort weiß.
Aber lange kann der Weihnachtsmann nicht bleiben, weil es so viele Häuser und Kinder gibt, und er hat doch nur einen Abend Zeit.

Weiter geht die Reise. Auch das kleinste Päckchen wird da abgeliefert, wo es hingehört, und wenn es mitten auf dem Meer sein sollte.

In der weiten Welt sieht manches anders aus als zu Hause in unserem kleinen Dorf, denken die Wichtel. Es gibt so viele Städte und Länder. Und alle Menschen leben anders. Nur die Kinder sind überall gleich.

Nun fliegt der Weihnachtsmann mit seinen Wichteln in die Länder jenseits des Ozeans. Als er dort ankommt, ist aus dem Heiligabend die Weihnachtsnacht geworden. Alle Leute schlafen schon und haben ihre Haustüren abge-schlossen. Aber der Weihnachtsmann findet trotzdem den Weg zu ihnen, er kommt nämlich durch den Schornstein, ganz einfach.

Die Geschenke steckt er in
die Strümpfe, die man dort
am Heiligabend ans Kamin-
sims hängt oder unter den
Weihnachtsbaum legt.
Am Morgen, wenn die Kinder
die Geschenke finden, sind
der Weihnachtsmann und
seine Wichtel längst über
alle Berge.

Es gibt viele, viele Häuser in den Ländern hinterm
Ozean und der Weihnachtsmann und seine
Wichtel trinken viele Thermoskannen Kaffee leer
und eine Menge Saft, bis sie überall gewesen sind.
Wie der Weihnachtsmann das alles schafft in einer
Nacht, das weiß man nicht. Sogar den ältesten
und klügsten Wichteln ist es schleierhaft. Er
selber hat es nie verraten. „Weihnachtszauber …",
sagt er nur, wenn man ihn fragt, und schmunzelt.

Die Arbeit ist getan und eine unendlich müde Schar von Weihnachtswichteln kommt zurück in das kleine Dorf am Korvatunturi. Nichts hilft jetzt mehr als eine frisch geheizte Sauna. Die Wichtel sind sogar zu müde, von den vielen Abenteuern zu erzählen, die sie überall erlebt haben. Aber dazu ist später noch Zeit genug, ein ganzes Jahr lang.

Die Rentiere liegen
schon gestriegelt und
mit einer Decke
zugedeckt im warmen
Stall. Das haben sie
verdient und eine
doppelte Portion
Fressen dazu.

Der Weihnachtsmann und alle Wichtel sind zufrieden. Denn Heilig-
abend ist vorbei und alles hat gut geklappt. Die Wichtel hören im
Traum das Lachen von vielen tausend Kindern, die sich über ihre
Geschenke freuen.

Am ersten Weihnachtstag gehen die Wichtel morgens in die Kirche. Danach sehen sie sich ein Krippenspiel an, das die Wichtelkinder einstudiert haben wie in jedem Jahr.

Auch die Wichtel schenken sich etwas zu Weihnachten. Es kommt nicht darauf an, ob ein Geschenk groß oder klein ist. Es muss nur von Herzen kommen, sagen sie.

Zum Schluss treffen sie sich alle zur großen Weihnachtsfeier, der Weihnachtsmann und alle Wichtel, die kleinen und großen. Ein riesiger Weihnachtsbaum steht in der Mitte und jetzt gibt es endlich den süßen Reisbrei. Alle sind schon sehr gespannt, wer in diesem Jahr die Mandel findet.

Weihnachtslieder werden gesungen und dann tanzen alle um den Weihnachtsbaum. Die Wichtelkinder freuen sich über ihre Geschenke und sind fröhlich wie die Großen. Es ist schon tiefe Nacht, als ein Wichtel nach dem andern müde wird und ins Bett sinkt.

Jetzt haben die Wichtel Zeit, sich ein paar Wochen lang
auszuruhen, danach beginnt der Alltag wieder in dem kleinen
Dorf am Korvatunturi. Weihnachten kommt schneller, als man
denkt, heißt es bei den Wichteln.

Mauri Kunnas

1950 in Vammala/Finnland geboren, studierte Kunst und Design in Helsinki und zeichnet politische Karikaturen, Cartoons und Comicstrips für Zeitungen und Zeitschriften. 1979 erschien sein erstes Bilderbuch. Heute gehört er zu Finnlands beliebtesten Kinderbuchautoren mit internationalem Erfolg. Er hat zahlreiche Auszeichnungen erhalten und wurde u. a. für den Deutschen Jugendliteraturpreis und den Hans-Christian-Andersen-Preis nominiert.

Mauri Kunnas bei Oetinger

Das allerschönste Weihnachtsgeschenk
Wo der Weihnachtsmann wohnt
Zauberspuk beim Weihnachtsmann
12 Geschenke für den Weihnachtsmann
Hier kommen die Wikinger
Im wilden Wilden Westen
König Artus und die Ritter der Tatzenrunde

© Verlag Friedrich Oetinger GmbH, Hamburg 1982
Alle Rechte für die deutschsprachige Ausgabe vorbehalten
© Mauri Kunnas (Bild und Text) 1981
Die finnische Originalausgabe erschien 1981 bei
Otava Publishing Company Ltd., Helsinki,
unter dem Titel »Joulupukki«
Deutsch von Anu Pyykönen-Stohner und Friedbert Stohner
Satz: UMP Utesch Media Processing GmbH, Hamburg
Druck und Bindung: Otava Book Printing Ltd., Keuruu
Printed in Finland 2008
ISBN 978-3-7891-6090-5

www.oetinger.de